AIに使われる人 AIを使いこなす人

情報革命に
淘汰されないための
21の視点

PEOPLE USED BY AI
PEOPLE WHO MASTER AI

YOSHIO TSUKIO
月尾嘉男

公益財団法人
モラロジー道徳教育財団

はじめに

AIはなぜ人類をこれほど葛藤させるのか

人類の歴史の起点をどこに設定するかによりますが、最初に直立歩行をするようになった猿人から計算しても七〇〇万年前の登場ですし、現代の人間の直系の祖先とされる新人からは二〇万年しか経過していません。これは四六億年という地球の歴史からすれば七〇〇万年は〇・一五%ですし、二〇万年は〇・〇〇四%という一瞬でしかなく、人類は本当に最近、地球に登場した新参の生物ということが理解できます。

この人類は地球に生息する何千万種の生物の一種でしかありませんが、過去一万年間で数百万人から八〇億人と一〇〇〇倍にも繁殖した理由はさまざまな技術を発明したことです。人間の学名は「ホモ・サピエンス（知恵のある人間）」ですが、フランスの学者アンリ・ベルクソンは「ホモ・ファーベル（道具を使用する人間）」という呼称を提唱しています。人間以外の生物が手中にしなかった道具を製作するという能力を獲得したことが最大の特徴というわけです。

最初の祖先はすべての動物と同様に野生の植物や動物を食料とする生活をしていましたが、この知恵と道具を駆使して、地域により相違はあるものの、一万年前に自分たちに必要な動物を飼育する牧畜や植物を栽培する農業（一次産業）を手にし、数百年前に必要な道具や装置を製造する工業（二次産業）を開発し、数十年前に情報処理や情報通信を変革する技術（三次産業）によって情報社会に移行してきたというのが概略の区分です。

この三種の産業の割合は急速に変化し、一例として日本の終戦直後の数字は、農業など一次産業人口は四九％、工業など二次産業人口は一六％、それ以外の三次産業人口は三五％でした。しかしわずか八〇年後の現在、一次産業は四％、二次産業は二五％、三次産業は七一％に激変しています。

　この高次産業への急速な移行の原因は農業機械や製造機械などが浸透し、少数の人間で従来以上の生産が可能になる一方、人間にしかできない仕事をする三次産業が雇用を吸収していった結果です。

　このような急激な変化が発生すると、社会には反動が発生します。

　一七八五年にイギリスのエドモンド・カートライトが自動織機を発明しました。その結果、繊維産業で大量の失業が発生し、それに反対する人々が織物工場や織物機械を破壊する社会運動が発生しました。七年間もの社会騒動となったラッダイト運動です。イギリスでは首謀する人々を処刑する法律まで制定し、実際に何人もが処刑されたほどの騒動となりました。

　同様の抵抗運動は以後も発生します。一八世紀後半以後、さまざまな自動車が発明されます。現代の社会では必須の移動手段になるほどの素晴らしい技術でした。ところがイギリスで一八六五年に「赤旗法《あかはたほう》」という法律が制定され、自動車の速度は市内では時速三・二キロメートル、郊外では六・四キロメートルに制限され、しかも自動車の前方一〇メートルほどを赤旗を持った人間が予告して歩行するという制度です。建前は安全のためということですが、実際は自動車に駆逐される危機を察知した馬車業界の意向を反映した制度です。

AIに奪われゆく人間の仕事

これら二例は農業社会から工業社会へ巨大な転換をする時期に発生した社会問題ですが、二一世紀初頭から登場してきた工業社会から情報社会への転換でも同様の問題が発生しています。

イギリスのオックスフォード大学の二人の学者が二〇一三年に「雇用の未来：コンピュータによる職業への影響」という研究を発表しました。アメリカ政府が標準職業分類で定義している七〇二の職業について、コンピュータやインターネットなどの情報技術が浸透した十数年後に消滅している職業の確率を計算したものです。

しかも漠然とした評価ではなく、数理手法を駆使して消滅する確率を〇・三%から九九%まで明確に表示したため、衝撃となりました。

消滅確率最小の代表は、余暇療法士、デザイナー、聴覚訓練士など、消滅確率最大の代表は通信販売業、税務申告業、保険引受業などです。人工知能が代替できない芸術や医療の仕事は残存し、情報技術が代替できる販売や代行業務関係の仕事は消滅するということです。この予測が正確であれば、アメリカでは労働人口の四七%が失業するという衝撃の予測も発表されています。

この手法にもとづいて日本の研究機関が国内に現存する六〇一の職種について計算した結果、今後数十年のうちには労働人口の四九%が情報技術によって置換されると発表しています。

ところが、さらに大胆な未来を予告した学者が存在します。アルベルト・アインシュタイン以来の天才という評価もあるアメリカの未来学者レイ・カーツワイルが二〇〇五年に『シンギュラリティは間近』（邦訳は『ポスト・ヒューマン誕生』）という大部の書物を発表し、二〇四五年には人工知能の能力が人類全体の能力を上回る特異点（シンギュラリティ）に到達すると発表しました。

これは空想ではなく、すでに囲碁・将棋ではコンピュータは人間に完勝しており、医療診断も一部は人間以上の能力になるなど、次々に人間の能力を上回る成果が登場しています。

予測はすでに現実化している

これを裏打ちするような研究が二〇一七年にオックスフォード大学から「人工知能が人間を凌駕《りょうが》する時期」という題名で発表されました。内容は現在の仕事を人工知能が代替できる時期を予測したものです。

この論文によると、「演説原稿の作成」は二〇二三年、「コールセンターでの案内」「原稿の朗読」「自動翻訳」は二〇二四年、「流行音楽の作曲」「トラックの運転」は二〇二七年、「流行小説の執筆」は二〇四九年、そして驚嘆することに、二〇六一年には「すべての仕事」を人工知能が代替すると予測しています。

しばらく前であれば学者の適当な予測と興味本位で理解したかもしれませんが、この予測から六年が経過した現在、実現しつつある現実が次々と登場しています。すでにNHKのニュース番組では事実を伝達するだけのニュースは人工音声で放送されて「原稿の朗読」は実現していますし、二〇二三年からは大型トラックの自動運転の実験が日本の高速道路で実施されています。

そのような状況で二〇二二年の年末に登場したのが「チャットGPT」に代表される生成人工知能です。

デンマークでは首相が議会での演説の草稿を生成人工知能に作成させたということが話題になっていますし、日本では医師の国家試験問題を解答させたところ合格する水準の成績であったことが判明しました。流行するかどうかは確実でないにしろ、音楽や絵画の創作をする生成人工知能も登場し、題名を入力すると対応する絵画や音楽を制作しています。

　このような技術は使用されればされるほど人工知能自身が学習して能力を向上させていく仕組みのため、急速に高度な知能を獲得していくと予想されます。レイ・カーツワイルが二〇四五年に到来すると予測した特異点が、二〇三年も前倒しで実現したことになります。

　ここで人間はどのように行動するかの判断を要求されることになります。二〇〇年前のラッダイト運動のようにコンピュータを破壊することはできないし、赤旗法のように法律で規制することもできません。実行すべきことは高度な人工知能が実施できることは人工知能に実行させ、その結果、余裕ができた時間に人間しかできないことを実行するという戦略です。

淘汰されないために今すぐ視点の転換を

そこで「情報」と「情緒」という概念で将来を検討してみます。「情報」は保有している人数が少数であるほど価値が増大する性質があります。

あまりにも有名な事例ですが、一八一五年六月にベルギーのワーテルローでフランスのナポレオン一世の軍隊とイギリスのウェリントン公爵が指揮するイギリスとオランダなどの連合軍隊が対戦し、後者が勝利しました。

戦場に密使を侵入させ、イギリス勝利の情報をいち早く入手した銀行家ネイサン・ロスチャイルドは保有していたイギリスの国債を大量に売却します。ロスチャイルドが売却するということはイギリスが敗退したからだと想像した多数の人々も売却したため、国債の値段が暴落しました。

その段階でロスチャイルドは暴落した国債を一気に購入して大儲けしました。

イギリスの軍隊の勝利という情報を、イギリスでは一人だけ入手したために大変な価値があったという逸話です。

一方、ベストセラーの小説は読者が多数であるほど価値が増大しますし、観光対象の場所も多数の人々が来訪するほど価値が増大します。この対極にある情報を「情緒」と名付けます。この両者の意味の相違を検討してみます。

現在、多数のスポーツでは選手の特性を詳細に分析し、その情報を利用して選手を採用し、試合での行動を指示します。それを題材にした映画がブラッド・ピット主演の『マネーボール』(二〇一一)です。

過去の膨大な試合の記録を分析し、どのように選手が行動すれば勝利の確率が増大するかを判断して采配する戦略です。

一例として安打と四球を比較すると、安打のほうが四球より見栄えがしますが、初球を安打されるより、四球を選択されるほうが投手の球数は増加するので負担が増大します。そこで過去の数字を調査して打率よりも四球での出塁率が上回っている選手を獲得するというのが一例です。しかも打率が高率の選手は年俸が高額ですが、四球はそれほど給与に反映されていなかったため、安価に獲得できるという利点もありました。

しかし、このような数字だけで勝率を上昇させても球団の人気が上昇するわけではありません。最近のメジャーリーグ・ベースボールでは入場する観客に大谷翔平選手のような人気選手の人形を手渡したり、選手も観客の要請があれば気軽にサインをするなどさまざまな観客サービスをしています。勝率という情報だけではなく、球団を応援してくれる動機となるような「情緒」を提供することが重要になっているのです。

AIそれは恩恵か害悪か

前述のように、人類は地球の歴史では一瞬という期間に農業社会、工業社会、情報社会と生活環境を変遷させてきました。その最後の情報社会も、情報技術の異常とも表現できる変化によって方向転換を開始しています。この変化の意味を長期の視点から考察してみます。

四六億年の地球の歴史は天変地異にも匹敵する異変の発生によって時代が区分されています。

大枠は地球の誕生した時期から順番に、冥王代《めいおうだい》、太古代、原生代、顕生代《けんせいだい》に区分され、顕生代はさらに古生代、中生代、新生代に区分され、直近の新生代は古第三紀、新第三紀、第四紀に区分されてきました。

ところが最近になり、人類が地球環境にもたらす影響が顕著になった時期から以後を新規の時代として区分し「人新世（アントロポセン）」と名付けようという意見が登場しました。区分する時期は、人類が農業を手中にして自然を改造するようになった一万年前くらいから化石燃料を大量に使用するようになった一〇〇年前くらいまでさまざまな意見がありますが、いずれにせよ地球の生物の一種でしかない人間が地球に異変をもたらす存在になったことを反映した見解です。

そのような時期に急速に社会に影響をもたらしているのが情報社会であり、その影響の先端に位置するのがＡＩ（人工知能）です。

ギリシャ神話に登場する神族の一人、プロメテウスは天界の「火」を人類にもたらしたとされていますが、それは恩恵とともに害悪ももたらし、人間は葛藤してきました。

現在のＡＩは、プロメテウスがもたらした「火」に匹敵する存在です。この技術をどのように利用していくかを目先のビジネスの視点からだけではなく、長期の人類の歴史の視点から検討していくことが重要です。

AIに使われる人
AIを使いこなす人

目次

はじめに　1

第一章　情報から情緒へ

第二章　画一から多様へ

第三章　無縁から創縁へ

第四章　時間消費から時間貯蓄へ

第五章　未来から現代へ

第一章　情報から情緒へ

1　情報よりも情緒をめざす

視点が結果の八割を決める

人間にしかできない仕事の領域を見極め、追求していくうえでは物事を観察する「視点」が重要です。

パーソナル・コンピュータの出現を五〇年前に予言したアメリカのコンピュータ学者アラン・ケイは、物事を観察する視点が結果の八割を決定するという経験法則を発表しました。どれほど優れた頭脳があっても、間違った方向から物事を観察していては核心に到達できません。

新型コロナウイルスにより三密回避が推奨され、あらゆるビジネスにＡＩをはじめとする情報技術が一気に導入されました。この流れは騒動が収まっても逆行することはないでしょう。情報革命とも称されるこの急激な変化に淘汰されないためには、この変化の潮流がどこへ向かうのか、大局的な視点から読み解く必要があります。

あまりに動向に敏感になりすぎると、次々と起こる技術革新に追随するばかりで、向かうべき目的地を見失います。未踏の高山に登ろうとするとき、目の前の安易なルートばかり選択していけば、最終的にどこへ行きつくのか分からなくなるのと同様です。必要なことはめざす頂上を明確にし、必要とあれば困難であっても踏破することでしょう。

では、この情報革命を踏破していくためにもつべき視点はなんでしょうか。それは「情報」よりも「情緒」をめざすという視点です。

AIが奪うことのできない人間の聖域

情報とは、明治時代に「インフォメーション」の訳語として生まれたとされ、報道や報告などのように事実を迅速に伝達する側面を「報」、情感や叙情などのように感性を刺激する側面を「情」という漢字で表現した造語です。

このうち前者の性質を「情報」、後者の性質を「情緒」と名付けて話を進めます。

情報はニュースのスクープのように少数の人間が所有しているほど価値が増大します。一八一五年のフランスとイギリスのワーテルローの決戦で、いち早くイギリス勝利の情報を入手したドイツ出身のイギリスの銀行家ネイサン・ロスチャイルドが巨額の資産を獲得した事例が有名です。

一方の情緒は芸術のように、より多数の人々が共感するほど価値が増大する性質をもっています。書籍では世界で約六億冊が購入された小説『ハリー・ポッター』シリーズが代表です。通信を駆使するビジネスは情報を操作しているけれど、インスタグラムに投稿される写真は、関心をもつ人数が増加するほど価値が増大する情緒の世界です。

新型コロナウイルスの影響により、人間と人間が会って議論する会議がテレワークに置き換わりました。ビデオ会議によるコミュニケーションが日常化するにつれ、乾燥した情報交換では充足されない情緒という人間同士の交流の価値が見直されています。

政府の国民意識についての調査によると、一九七〇年代後半に国民の要求は「物の豊かさ」から「心の豊かさ」に移行し、最近では三分の二近くが「心の豊かさ」を期待しています。これは前述のオックスフォード大学の調査でも明確で、上位は人間が人間の相手をする仕事に集中しています。

最近では介護ロボットや対話ロボットも登場し、人間の役割を技術が代替しつつありますが、当分、情緒を対象とする仕事は人間の聖域といえます。

2　効率よりも物語に価値を見いだす

暗号資産は利益を追求した究極の形

この情報革命を利便や効率という視点だけで理解しようとすると、その背後にある情緒という重要な価値を見落とすことになります。

南海の孤島、ミクロネシア連邦の西側に位置するヤップ島に石貨といわれる石製の通貨があります。小石程度から人間の背丈以上まで大小さまざまな一万個弱が現存しています。

道端に放置されているので遺物のようですが、現在も通用する貨幣です。日常の買物に使用されるわけではなく、婚礼の祝儀や土地の売買などに利用され、大半は現在の場所に放置したままとなっています。筆者が取材したときは正装した何人かが売買の成立した土地まで運搬していましたが、これは例外です。

国家発行の通貨が支配する現在の社会からは奇異な印象ですが、さらに奇異なことは石貨の価値の決定方法です。石貨の素材はヤップ島内に存在せず、およそ五〇〇キロメートル南西の孤島パラオへ何人かが出向いて製造し、小舟で運搬してきます。その価値は重量や規模ではなく、製造や運搬の苦労などの物語で決定され、さらに骨董と同様、どのような場合にどのような人々が使用したかの由緒も価値を左右します。そのため運搬の途中で海中に水没したままの石貨さえ通用しています。

物々交換の不便を解消するために通貨が発明され、その利便を追求した究極の形態が暗号資産です。金銀や国家の保証もなく、多数のコンピュータに分散された情報のみが保証するという情報社会を象徴する存在です。

この現実からすれば、物語に価値がある石貨などは見向きもされないでしょう。商品についても同様の傾向があり、同一規格の大量生産された安価な商品が市場を席巻しています。これは日常生活の維持には必要ですが、効率が支配する世界でもあります。

キーワードは「共感」と「多様」

ところが石貨と同様に、物語が注目される商品が登場してきました。帆船時代に難破して沈没した商船の船倉から発見されたワインが高値で流通することがあります。絶品というわけではないものの、発見の経緯から想像される物語が人々を魅了するのです。そこで世界の数多くのワインから特別に高級ではないが、海底で熟成するのに最適な商品を選択し、伊豆半島の海底で熟成させて「サブリナ」と名付けたワインを発売したところ、これが人気商品になっています。

　アメリカのある地方都市のごく普通のコーヒーショップで一人の女性が店のサービスに感心し、勘定のときに余分に一〇〇ドルを支払い、この資金がなくなるまでは来客に無料でコーヒーを提供してほしいと伝言していきました。それ以後、無料になった来客に店員が事情を説明すると、それが話題になり、来客が増加するだけでなく、資金を追加して提供する人々も出現してきたといいます。雑誌やテレビジョン放送で紹介され、わざわざ遠方から人々が到来するようにもなったそうです。

　情報技術が社会を席巻している現代は、端末装置から注文すれば翌日には商品が配達される便利な世界になってきました。それは必要な商品を入手するという目的だけで評価すれば価値がある一方、その背後には見失った価値が存在します。それが「情緒」です。

　現代社会は暗号資産が象徴する情報を基盤として発展している一方、人々は石貨が象徴する情緒の世界も求めていることを反映しています。

情報革命に淘汰されないためには、利便や効率という視点に偏らず、共感や多様という視点で物事を観察し、情緒を基礎とする物語を創造していく努力が必要です。

それはＡＩに浸食されることのない人間にしかできない「アート」の領域です。

3　日本挽回のカギは「アート」にあり

世界に出遅れる日本の現状

ここまで情報を「情（情緒）」と「報（情報）」の二つの性質に分解し、情報革命を読み解く視点を考えてきました。それでは、この情報と情緒の二つの分野における、日本の立ち位置を見てみましょう。

まずは「報（情報）」の分野です。行政手続のオンライン利用比率は、三八カ国が加盟するOECD（経済協力開発機構）諸国で一位のアイスランドは八〇％近いが、日本は最下位の七%強でしかありません（調査対象は三〇カ国）。中学校での情報手段利用教育について四八カ国・地域の比率では、一位のデンマークが約九〇%であるのに、日本は四九位の一八%ほどです。

スイスの研究機関が毎年発表する世界六三カ国・地域の情報社会の順位でも、日本は一〇年前の二〇位から低落し、二〇二二年は二九位です。この状況も反映し、より広範な項目を集計した国家の順位では、一九九〇年代には一位であった日本は、最近では三〇位前後に低迷しています。これらの数字は情報社会への出遅れを意味しています。

では「情（情緒）」の分野はどうでしょうか。こちらも残念ながら、出遅れています。

一例はノーベル文学賞を受賞した作家の作品の言語です。一九〇一年以来、一一九人の作家が受賞していますが、日本からはわずか二人でしかなく、言語の比率では一一位です。ヨーロッパ発祥の表彰制度であることを考慮しても、科学技術分野と比較して日本が劣勢であることは否定できません。

さらに最近では「情」と「報」を統合することの重要さが強調されるようになってきました。アメリカ政府は二〇〇六年に国力増進のためにＳＴＥＭ（科学・技術・工学・数学）教育を重視する目標を設定しましたが、その三年後にはＳＴＥＭにＡ（芸術）を追加し、「情」の分野も兼備することが重要であるという方針に拡大しています。

残念ながら、そのような時期から日本は反対の方向に転換するようになりました。

画一から多様への転換がカギ

まずＳＴＥＭの段階では工学と理学の分野で博士課程に進学する学生が急速に減少しはじめています。二〇〇四年の五三〇〇人が頂点で、最近では三七〇〇人と三割も減少しています。欧米諸国に比較して人口あたりの博士号取得者は半分にも届きません。

ここ数年、大阪医科大学と大阪薬科大学、東京工業大学と東京医科歯科大学など大学の統合が増加していますが、いずれも理系の大学の統合であり、STEAMが象徴するSTEM＋Aの統合は登場していません。

明治維新から一五〇年以上が経過した現在、巨大な変化をした世界への対応ができていないのが現状です。

工業技術の西欧との格差を自覚した明治政府は、大臣の給与に匹敵する高給で外人教師を招致し、高等教育を推進すると同時に、学制発布によって初等教育を充実してきました。その効果により日本は世界有数の工業国家へと発展できたのです。しかしSTEAM人材が社会を牽引する時代への対応は大幅に出遅れて、世界の中位が現状です。

日本が今後、STEAM人材を育成していくためには、情報だけでなく「情緒」の分野を重視した教育が不可欠です。その改革を実現させるカギは「画一から多様への転換」にあります。

次章で見ていきます。

第二章　画一から多様へ

4 環境に適応しすぎたゆえの悲劇

消滅の歴史に共通する「過剰適合の悲劇」

ニュージーランドという島国には八八種類の固有の鳥類が生息していましたが、過去一八〇年間で四割に相当する三六種類が絶滅しました。ニュージーランドは一億年前の地殻変動によりオーストラリア大陸から分離したのですが、当時は哺乳動物が発生しておらず、襲撃する天敵が存在しなかったために鳥類は飛翔しなくなりました。

しかし、一八〇年ほど前にイギリスから移民が到来し、イヌやネコなどを持ち込んだため、それらの動物の格好の獲物として飛翔しない鳥類は一気に絶滅したのです。

絶滅は人間の世界にも存在します。『消滅した国々――第二次世界大戦以降崩壊した183ヵ国』（吉田一郎著）という書物によれば、わずか戦後七〇年間という人類の歴史から見れば一瞬ともいうべき期間に、国家単位の消滅が発生しています。その主要な原因は民族抗争ではなく、チベットやクリミアの問題が象徴するように大国の強権によってです。このような問題は現在でも世界各地で多数発生しています。

国家という巨大な単位ではなく、産業という単位でも同様の現象は発生しています。最近では、日本の電子産業が壊滅状態になっています。一九八〇年代は世界の集積回路の四〇％を日本の企業が生産する栄光の時代でしたが、現在では一〇％以下に低下し、大手企業を統合したルネサスエレクトロニクスが一種の国策企業として生産を維持しているだけです。原因は技術革新に出遅れ、安価に生産する中国、台湾、韓国の企業の躍進に対抗できなかったことにあります。

これらの事例に共通するのは「過剰適合の悲劇」という事態です。ある環境に適応しすぎると、環境が急速に変化したときに対応できないということです。

中米から南米にかけて生息するヤリハシハチドリは体長一〇センチメートル程度ですが、約一〇センチメートルの細長いクチバシがあります。トケイソウという植物の細長い花冠《かかん》からミツを吸引することに特化した結果です。他者と競合しないから有利な関係ですが、一方が絶滅すれば他方も絶滅するという、一蓮托《いちれんたく》生《しょう》の関係になってしまいます。

悲劇を回避するための方法とは

この問題を回避する方法は二つあります。

第一は多様な種類が存在することです。クチバシの形状がさまざまであれば、類似の種類とは競合するから不利ですが、ミツを吸引するのに最適であった植物が絶滅しても、それ以外の種類は生存できるでしょう。

第二は適当に適合して最適にならない戦略です。クチバシが中途半端な形状であれば、やはり他種との競合は増大しますが、さまざまな植物からミツを吸引できます。

この二種の方法から持続しているのが、地球の生物世界です。極寒の海中、灼熱の砂漠、暗黒の地中など、地球のあらゆる環境に多種多様な生物が生息し、その種類は何千万種にもなると推定されています。

これらの生物は孤立することなく、動物の排出する炭酸ガスは植物に吸収されて動物が必要とする酸素に転換されるように、相互に影響しています。それら多様な生物の密接な関係の恩恵によって、数千万種の一種でしかない人類の生存が何百万年も保証されてきたのです。

ところが人間の築いた社会は人種、国籍、性別、宗教、思想など、生物としては微々たる差異でしかない特徴を理由に差別し、極端な場合には相互に憎悪し、排斥さえしてきました。

それを見直そうという動向がダイバーシティ（多様）で、最初は学校教育から出発し、次第に企業活動や地域社会にまで影響が拡大しています。

5　異質を包み込み「一体となる力」を養う

AI劣勢を挽回する絶好の機会

近年、欧米では、最高多様性責任者であるCDO（チーフ・ダイバーシティ・オフィサー）という役職を用意する企業が増加しています。社員の構成を、性別、人種、学歴、国籍、年齢など、あらゆる側面で多様にすることが責務であり、最高経営責任者のCEO（チーフ・エグゼクティブ・オフィサー）に直結する重要な役職です。

日本では政府が「ダイバーシティ2・0」という政策を策定し、女性の活躍や国籍の多様を推進していますが、それは日本が後進国家であることを証明していることでもあります。

女性の活躍の出遅れを明示するのは国会議員の女性比率で、世界の平均が二五%であるのに日本は一〇%でしかなく、世界の一六八位です。さまざまな指標を統合した男女平等指標も一二一位が現状です。

国籍の多様についても、外国人労働者の雇用比率はアジアの国々が一〇%以上であるのに、日本は三%程度でしかなく、外国人留学生の受け入れ比率も、欧米諸国が一〇%以上であるのに、日本は三%程度でしかありません。多様の欠如が際立った国家であるということができます。

しかし、日本が出遅れた現状を挽回する絶好の機会を提供する概念が登場してきました。多様な人々で構成される組織が実現したとして、それによって国家や企業や学校などの活動が活発になっているかが疑問とされる状態を変革しようという活動です。一定割合の女性を雇用しても、依然として書類の複写など単純作業に従事させ、外国の人々を雇用しても通訳として利用しているだけでは、多様の本来の機能は実現していないのではないか、という疑問への対応です。

それがインクルージョンです。

足元にある宝を掘り起こせ

インクルージョンは包含とか包摂と翻訳されますが、多様な要素が相互に影響し、全体として効果を発揮する組織になるという概念です。生物世界では、あらゆる生物が相互に密接に関係し、全体を安定して持続可能な世界にしているように、企業や社会においても多様な人々が相互に連携して組織の能力を向上させようという理念です。企業の場合、社員の人数の単純な加算ではなく、掛算にしていこうということになります。

残念ながら、現状では日本のインクルージョンは世界で出遅れています。最近の二四カ国の企業を対象にした調査で二四位です。

しかし、日本にはインクルージョンの伝統があります。日本の言葉は古代に中国から渡来した漢字を固有の言葉と融合させ、文字も漢字を利用して仮名文字を創造しました。明治時代に欧米の言葉が大量に流入したときも、アートを芸術、サイエンスを科学などと翻訳し、日本の文化に融合させています。これはダイバーシティではなく、見事なインクルージョンです。

幸運なことに、インクルージョンは小さな組織ほど実現が容易です。人口減少が確実な日本が生き残るうえで人数の掛算になる推力を得ることができるインクルージョンは、重要な戦略の一つとなるでしょう。

そのためにも伝統的な精神、文化を活用して「多様」をめざすという視点が必要です。

6　ロボットと共生できる強みを生かす

ロボットを使いこなす日本の強み

二〇二二年一一月に国際連合人口基金が世界の人口が八〇億人に到達したと発表しました。しかしこれで安定するわけではなく、今後も毎年、フランスの人口に匹敵する人間が増加し、一五年後には九〇億人に到達します。増加の大半はアフリカの国々ですが、一方、世界には人口減少を憂慮している国々も多数存在します。ブルガリア、リトアニア、ウクライナ、クロアチアなど東欧諸国では二〇五〇年までに一五％から二〇％の減少が予測されています。

日本も同一期間に一〇％近く減少して一億一〇〇〇万人になると推定され、スペースXなどを創業した斟酌《しんしゃく》なしの発言で有名なイーロン・マスクは「出生率が死亡率を上回る変化がなければ日本は消滅する」と発言しました。

消滅までには時間があるにしても、マスクが前提としている出生率と死亡率で計算すれば、二一〇〇年には五〇〇〇万人程度になり、明治初期から一五〇年で人口が四倍に増加してきた日本にはさまざまな問題が発生します。

その一つが、働き手の不足です。人手不足に直面している企業の比率は二〇一六年には五六％でしたが、二〇二二年の調査では六五％に増加しました。西欧諸国も同様の状況に直面していますが、外国人労働力の確保と女性の活躍で対応しています。しかし日本は社会構造の制約から、どちらも欧米諸国を大幅に下回っているのが現状です。

人口全体の外国人比率は欧米諸国の大半が八％から一三％ですが、日本は二％、女性の就業比率こそ日本は世界の上位にありますが、管理職就業率は大半の国々が四〇％前後であるのに、日本は一三％でしかありません。日本人優位、男性優位の一様な社会を多様に転換していくことが、インクルージョンを実現する近道です。

一方、世界に比べてインクルージョンが進んでいる分野もあります。ロボットとの共存です。

ヤオヨロズ日本の思想を生かすとき

ロボットというと、「鉄腕アトム」の影響もあり人間の形状をした機械を想像しますが、自動機械と解釈したほうがイメージしやすいでしょう。工場などで利用されている産業ロボットの稼働台数は一位こそ中国の一二二万台ですが、日本は二位で三九万台であり、出荷台数でも一位の中国の年間二七万台とは大差であるものの、日本は五万台を生産して世界二位と、製造でも利用でもロボット大国です。これらロボットの大半は工場の機械製品の製造過程で使用されていますが、最近は、人手不足を解消するためのロボットが開発されるようになってきました。

二〇二二年九月に発表された人手不足の状況を調査した結果では、建設、運輸、介護、飲食、通信の業界で五割以上の企業が人手不足と回答しています。これらの業界でロボット導入に出遅れていたのが飲食業界ですが、最近、さまざまなロボットが出現しています。その先駆は能登半島にある有名な旅館で、一九八一年に高層の新館の建設を契機に、調理場で調理した食事をロボットが各階の配膳室に自動搬送し、三〇人分の作業を七人で可能にしました。

それほどの規模ではありませんが、東京都心のレストランではスパゲッティを四五秒で調理するロボットが活躍しており、削減できる人員の経費も算入して計算すると時間八〇〇円程度になり、アルバイトを雇用するよりも安価になります。

関東一円で中華料理を提供する食堂を運営している会社では、客席を巡回して食事の配膳と食器の回収を実施するロボットを使って人手の節約を実現していますが、これも人間を雇うより安価です。このような動向の背景にあるのは、ロボットの価格の低下です。

最近、アメリカの電気自動車メーカーのテスラが公開した二足歩行の新型ロボットは、これまで何千万円であった装置の価格破壊となるでしょう。そうなれば人手不足の社会では一気に浸透すると期待されています。それは人手不足解消とか経営費用削減という実利目的だけではない背景が日本の文化には存在するからです。

ロボットはチェコの作家カレル・チャペックの戯曲『R・U・R（ロッサム万能ロボット会社）』（一九二〇）に起源があります。言葉はチェコの労働を意味する「ロボタ」に由来し、西欧では人間と敵対する存在とされてきました。

一方、森羅万象あらゆる存在に霊魂があるとするアニミズムが文化の根底にある日本では、ロボットを静物ではなく〝生物〟と理解する精神文化があります。

欧米では、ロボットに介護されることを屈辱と感じる人が多いのに対し、日本は歓迎する高齢者が大半を占めるという稀有な国家です。西欧の一神教的な思想とは対極にある、日本の多神教的な「物人対等の思想」を生かせば、日本はロボット共生社会で世界の先頭に立つことができます。

7　周囲に気配りできるナッジ文化を資源に

情緒のヒントは大和言葉にあり

哲学者の和辻哲郎《わつじてつろう》は名著『風土』に、日本の人間は自然を征服したり自然に敵対したりせず、自然の威力に忍従し、淡白に忘却することを美徳とするという趣旨のことを書き表しました。

このことは、日本固有の大和言葉に反映されています。「たおやか」という大和言葉は、「柔軟」では代替できない意味を包含していますし、また「グレースフル」と翻訳しても、日本人が実感する感覚とは程遠いでしょう。このほかにも「あでやか」「しめやか」も「派手」「静粛」では置き換えできず、他国の言語に翻訳することも困難です。

こうした日本の伝統文化や精神は、情報革命に遭難しないために必要な「情緒」、そして「多様」の視点を現代の私たちに提供してくれます。

この点について、二〇一七年にノーベル経済学賞を受賞した、アメリカの経済学者リチャード・セイラー教授が提唱した「ナッジ」という理論を例に考えてみましょう。

ナッジとは、もともとは「周囲に察知されないようにこっそり気づかせる」という意味です。男子用小便器の周囲の清掃に苦労していたオランダのスキポール空港が貼り紙ではなく、便器の中央に実物規模の「ハエ」を印刷したところ、人々がそれをめざして用足しをするようになり、周囲の清掃が簡単になったという有名な事例があります。ただし、これは欧米の専売ではありません。

日本の料亭の男子用小便器の前面には「急ぐとも心静かに手を添えて外に漏らすな松茸の露」などの名句がさりげなく掲示されているし、二〇一三年のサッカー・ワールドカップのアジア最終予選で渋谷駅前に若者が殺到したとき、交通整理をしていた警官が警告ではなく「日本代表はフェアプレーのチームとして有名です。一二番目の選手である皆さんも規則を守ってください」と放送し、DJポリスとして有名になった事例もあります。

周囲に気配りできる力が価値をもつ時代

新型コロナウイルス大流行の最中、欧米の多数の都市では都市封鎖（ロックダウン）を発動して住民の行動を規制しましたが、そのような強制制度のない日本では三密回避を広報し、罰則のない「外出自粛」や「休業要請」を発表した程度でした。それでも国民は従順に対応し、見事に効果を発揮しました。マスクを着用する習慣のない欧米に対し、日本では流行の初期から、誰もがマスクを着用していました。これは周囲へ気配りするナッジが文化になっている証拠といえます。

感染流行の開始からほぼ三年半が経過した二〇二三年五月の時点では世界全体で収束の気配にありますが、二〇二〇年一月から二〇二三年三月までに、世界では六億七七〇〇万人が感染し、六九〇万人が死亡しています。

国別に人口一〇万人あたりの死者の人数を計算すると、アメリカが三四〇人、イギリスが三二四人、イタリアが三一一人、スペインが二五六人、フランスが二四七人と欧米諸国が上位である一方、日本は五八人と桁違いの少数です。

しかも平方キロメートルあたりの人口密度はイギリスの二八〇人、フランスの一一八人、イタリアの二〇〇人などと比較して、インドは四二〇人、日本は三三九人と欧米諸国に比較して高密であるのに感染が抑制されているのは不可思議な現象です。

強制されることなく自然と周囲へ気配りができる日本の「ナッジ」文化は、ポストコロナ時代に重要な意味をもつでしょう。

これから発展していく情報社会では、便利な通信技術の浸透によって画一化する世界の潮流の中で、多様な社会を維持することができるかどうかが問われます。

大和言葉に体現される日本の情緒の精神こそ、多様な存在を受け入れ、多様な存在と共生するインクルージョン社会を実現させる突破口です。

8 情報に溺れず欲望を抑えて幸福をめざす

ＡＩは幸福もたらすのか

多様な社会が実現されることは、私たち日本人のビジネスや生活にはどんな影響をもたらすのか、事例をもとに考えてみましょう。

新型コロナウイルスが流行しはじめて以後、頻繁に登場するようになった言葉があります。それは「幸福」です。当時の人口の二割以上が死亡した一四世紀の欧州のペストの流行、人口の数％が死亡した二〇世紀のスペイン風邪の流行と比較すれば、今回の死者は世界人口の〇・一％にもなりませんが、この流行により一変した世界の状況は「幸福」を希求させるのに十分な衝撃でした。

しかし、幸福は定義次第というやっかいな概念でもあります。

世界幸福度報告という調査で日本は世界の四七位、人生満足指数で九〇位、幸福惑星指標では五八位である一方、健康国家順位で四位、安全国家順位で九位、世界平和指数で九位という結果です。日本の位置のみならず、幸福惑星指標では南米諸国、世界幸福度報告では欧州諸国が上位に集中しています。

二〇世紀末に経済企画庁が地方の時代を反映し、一三八の指標を駆使して都道府県の生活環境の順位を発表したことがありました。ところが下位になった埼玉県や岐阜県などの知事から強い反発があり、堺屋太一《さかいやたいち》長官が身長、体重、視力を合計したような指標で順位を判定するのは問題という名言で撤回し、以後、順位は発表されなくなった経緯があります。

このような曖昧な幸福という概念を、地方銀行の頭取の経験もある宗教学者の井上信一は以下のように定義しています。

財産を分子、欲望を分母として、その割算の数値を幸福の程度と定義し、財産の増加によって幸福を追求するのが西洋の思想、欲望の減少によって幸福をめざすのが東洋の思想という説明です。

単純な計算ですが、西洋方式では、欲望を二倍にすれば資産を二倍にしても割算の数値は変化しないから満足できず、二倍以上に資産を増加させようと躍起になります。これがバブル経済事件の背景にある構造です。

東洋方式であれば、資産は一定でも欲望を半分にすれば計算結果は二倍になり、幸福になることができます。

欲望を増やす選択、減らす選択

明快ではあるが実践は容易ではありません。ブータンの先代国王ジグミ・シンゲ・ワンチュクは一九七六年に「国民総幸福量（GNH）は国民総生産量（GNP）より重要である」という名言により幸福国家を宣言し、一九九九年には「テレビジョンとインターネットに影響されない国民の知恵と良識を信用する」と両者を導入しました。

それから数年が経った時期に筆者がブータンを訪れたところ、社会は一変していました。テレビジョンの影響で地方の若者は幸福をめざして首都ティンプーに集中し、一〇代前半の女性に幸福度を尋ねたところ「一〇点満点中八点」という答えが返ってきました。二点を引いた理由は衛星放送で海外ドラマを見たことによる「あんな国に生まれたかった」という不満です。

情報が欲望を増幅することの危機は、『旧約聖書』のアダムとイブが知恵の果実を味見して楽園を追放される寓話や、死亡して冥界にいるエウリディケを地上に復帰させるべく努力したオルフェウスが、最後の一瞬に禁制に違反して振り返ったためエウリディケが冥界に逆行するというギリシャ神話にも登場します。

ノーベル経済学賞の有力な候補であるイスラエル出身の経済学者オデッド・ガローの近著『格差の起源――なぜ人類は繁栄し、不平等が生まれたのか』（原題は『人類の旅路』）では、数万年前にアフリカから世界に分散したホモ・サピエンスは移動距離に比例して遺伝的多様性が減少してきたという現象が全体の通奏低《つうそうてい》音《おん》になっています。アフリカから遠方の日本は、欧州に比較して多様ではないのです。

同じような情報には価値がないように情報の本質は相違することにあり、結果として多様な情報を創り出せる社会が優位になります。

現在の日本は情報社会の順位で世界の二八位前後、アジアだけでも六番です。それがガローの指摘する遺伝的多様性の低位によるものか、それ以外の要因によるものかはともかく、「多様」をめざすことが、情報革命時代における「幸福社会」を実現させるための日本の重要な目標です。

第三章　無縁から創縁へ

9　職縁に依存した生き方を変革する

AI依存の先にある無縁社会

二〇一〇年一月に放送されたNHKスペシャル『無縁社会』という番組で、この一見豊饒な日本で年間三万数千人もの人々が誰にも看取られないまま死亡しているという事実を報道し、社会に衝撃を与えました。

以後も、人口全体の減少、高齢人口の増加、未婚比率の増加、所得格差の拡大などにより、この人数は急速に増加しており、東京都内では一〇年間で二倍になっています。

　この「無縁社会」に対比される「有縁社会」を英語でコミュニティと表現することがあります。この語源はラテン語の〝一体になる〟を意味する「クム」と〝相互に贈り物を交換する〟を意味する「ムーヌス」を合わせたものであり、普段から贈り物を交換するような親密な関係にある仲間を表現する言葉です。

　家族や一族という単位で狩猟などをしながら移動して生活していた時代には、その関係は「血縁」によって維持されていました。

　現代のヒトの最初の祖先は五〇〇万年以前に登場しましたが、その九九％以上の期間は狩猟採集で生活してきました。狩猟採集の極意は獲物となる動物や食用となる植物が出現する場所を発見することですが、他人に察知されれば競合するため、血縁関係のみで生活し、情報を秘匿していたのです。

　筆者はアマゾン川源流域に生活する一家を訪問したことがありますが、獲物が出現する場所は親子のみが共有する情報でした。

人間が発見して命名している地球の動物や植物は約二〇〇万種とされますが、人間が発見していない生物も多数存在するため、最低でも一千万種以上は生存していると推定されています。それらの多数は生存の確率を向上させるために集団で生活しています。

現在でこそヒトは食物連鎖の頂点に君臨していますが、初期にはヒトも捕食される立場であり、防御のために集団を形づくってきました。

やがて一万年前に狩猟から農耕が食料確保の主な手段になると、集団の基盤は「地縁」に変化します。種まきや刈り入れは特定の時期に集中するため集団での作業が必要になり、同一の場所に定住する人々の結束が社会を形づくったのです。

さらに工業が産業の中心になると、多数の人々が住居から工場やオフィスに通勤し、相当の時間を職場の仲間と生活することになり、「職縁」が社会の主要な関係として登場してきます。隣の家の様子よりも会社の同僚の家庭の事情に精通する社会です。

AI時代の幸福のカギは「創縁」にあり

こうした流れは社会の必然の変化といえますが、新たな問題が登場しました。平均寿命が延び、長寿となったことです。それにより職縁という人間関係を維持していた唯一の場所から切り離される時間が長くなり、ついに「無縁」にまで到達したのです。

血縁から地縁を経由して職縁までの「縁」に共通するのは、すべてが生産とか仕事に由来する関係という点です。そこでさまざまな時代の人生において、仕事に関係する時間がどれほどの比率になっているかを概略の計算で推定してみると、無縁に至るまでの経過が浮かび上がります。

以下は平均寿命ですが、狩猟生活が中心だった縄文時代は約一五歳、大半が農業に従事していた江戸時代は男女とも約三六歳と推定されます。いずれも人生の大半の時間は生産に携わっていたから、血縁や地縁で安定した社会が築けていたのです。

ところが、現代は男性で八一歳、女性で八八歳という世界有数の長寿国家となり、その一方で、依るべき職縁は六五歳前後の定年で消滅し、そこから二〇年近くは、地縁や職縁などの仲間とのつながりがなくなる生活を余儀なくされます。こうして無縁社会が出現してきたといえます。

この問題を解決するには、定年延長などの社会制度の変革が求められますが、個人がそれぞれに対応を用意しておく必要もあるでしょう。

一九八〇年代初期に旧総理府が実施した調査で、人生の目標は仕事か仕事以外かという質問に、約二八%が仕事、約一四%が仕事以外（それ以外は曖昧な回答）と回答していました。仕事人間が、仕事以外人間の二倍だったのです。

このような仕事もしくは企業に忠実であった人々が、職縁以外の「縁」を構築する余裕のないまま、定年とともに職縁を失っていったことが、無縁社会を異常なまでに拡大してきた有力な原因です。

　そうならないために実行すべきことは明らかです。まずは仕事中心から生活重視へ価値意識を転換することです。そのうえで職縁の生活をしている間に、それ以外の「縁」を用意しておくのです。趣味を共通とする「遊縁」でも、社会奉仕を共通とする「奉縁」でもいいでしょう。

10　通縁の時代だからこそ情緒的出会いを創る

求められる第五の社会関係とは

情報社会になって、新たに登場した縁もあります。それは「通縁」です。肉声で交信する電話の利用は減り、電子メールによる文字での交信が飛躍し、見知らぬ間柄でも文字や写真のみでの関係が成立するフェイスブックやX《エックス》（旧ツイッター）が躍進しています。アマゾンの通信販売の猛威が象徴するように、商品の売買でも人間が介在しない通縁が定着しました。

パンデミックを契機に、ビデオ会議をはじめ、対面をせずにネットワーク内部で情報交換をする「通縁」が常態となりつつあります。

血縁から職縁までは人間が出会う関係でしたが、人間の関係が希薄な社会が主流になってきたのです。

アメリカの社会学者デイビット・リースマンが名著『孤独な群衆』を発表したのは半世紀以上前の一九五〇年ですが今、社会は「孤独な個人」が大勢になる時代に移行しています。この巨大な趨勢《すうせい》を地縁や職縁の時代に逆行させることは困難で、別途の解決を模索する必要があります。

情報社会が進むにつれ、今後さらに「通縁」は拡大する見通しですが、一方で、乾燥した情報交換では充足されない情緒という人間同士の接触の価値が見直されていくでしょう。

これからは通縁だけに偏らず、新たな縁をつくる「創縁」という視点が重要になります。血縁から計算すれば第五の社会関係です。

幸運なことに、一九六〇年代には月間二〇〇時間余であった日本の労働時間は、現在では一五〇時間ほどに短縮しています。これにより年間に獲得した約六〇〇時間の自由時間を新しい縁を創る「創縁」に活用することが、無縁社会に陥らずに幸福な人生を得るための有効な方法となるはずです。

西欧的な価値意識が迎える限界

昨今は「関係人口」という考え方が注目を集めています。定住人口が減少する地域を救済する手段は交流人口というのが最近までの常識でした。しかし、観光などで来訪する交流人口は、経済効果はあるものの、地域社会の基盤にはなりません。そこで定住を期待する移住ではなく、短い期間そこに滞在をして地域で仕事をしたり住民と交流したりする「関係人口」を増やそうという政策です。

これは一例ですが、重要なのは仕事と余暇を分断せず一体的に捉える視点です。

西欧社会には、仕事や労働は苦役であり、そこから抜け出すことが人生の重要な目標という意識があります。とりわけアメリカ社会は、人生の前半で豊富な資産を確保し、後半は自由な生活ができることが成功であり、高齢になっても仕事をしているのは失敗という価値意識です。どちらも労働と余暇は分断され、対極の価値に置かれています。

ところが日本社会では、子供時代から労働は善行であるというような教育がされています。欧米とは価値意識が根本的に異なるのです。

もっとも最近は、日本も国際社会で競争するために西欧諸国と類似した基準を導入する事態となり、時間あたりの生産という効率重視の基準から、労働と余暇を分断して考える風潮となりつつあります。

日本固有の価値を見直し、職縁生活の間に人との交流を増やしながら、多様な縁を「創縁」していくことが、ポストコロナ時代を幸福に生きる道筋といえます。

11　分類できない仕事を発見し新たな縁を創る

AI時代に登場する二％の仕事

一般に産業は一次、二次、三次に分類されます。一次産業は農業、林業、漁業、鉱業など自然から人間に有用な資源を採集する仕事で、その資源を食品、家具、機械など利用できる状態に加工するのが二次産業。加工された製品を必要とする相手に供給する仕事が三次産業です。

これは一九四〇年代にオーストラリアの大学教授であったコーリン・クラーク

が提唱した分類です。

ただし三次産業は一次と二次に該当しない仕事を集約したため、種々雑多な仕事が混在しています。

クラークは時間とともに産業は高次の方向に移行すると指摘しましたが、それをクラークより三五〇年前に実証した人物がいます。イングランドの医師で学者でもあったウイリアム・ペティは、当時の欧州で競争していたフランス、イギリス、オランダを比較し、人口が最小のオランダが経済規模で最大である理由は、フランスの主力産業が農業、イギリスが工業であるのに、オランダは三次産業に該当する貿易を主力産業としていることだと喝破し、イギリスも重商主義に移行するべきであると提案しました。

実際、戦後の日本の発展はペティの理論を実証しています。六五年前には四〇%以上だった一次産業は現在では四%程度になる一方、三五%程度であった三次産業は七〇%以上になり、世界有数の経済大国に発展しました。

さらに七〇％以上にもなった三次産業を一括して議論することには無理があると、最近では出版、放送など情報サービスを四次産業、教育、医療など社会サービスを五次産業とする分類も登場しています。要約すれば自然から乖離《かいり》するほど高次になるという分類です。

ところが最近、産業分類に分類不能という項目が登場してきました。その分野は年毎に増加し、現状では二％にのぼっています。

例えば、携帯電話会社から委託されて新規の顧客を獲得して代金を受領する仕事、コンピュータを販売した会社から委託されて購入した家庭に出向いて初期設定をして代金を受領する仕事などです。日本の事業所数は五〇七万社ですから二％は一〇万社となり、五七〇〇万人の従業者数の一一四万人に相当し、無視できる数量ではありません。

そこでめざすべきは、分類不能とされる仕事の発見です。

分類不能な仕事を発見せよ

その狩場は大胆な技術革新が発生し、社会に急速に普及しはじめた領域です。

一九五〇年代に大型コンピュータが登場した時期には台数もわずかで専門の人間が設定などをしていましたから、初期設定などという仕事は存在しませんでした。しかし、パーソナル・コンピュータが登場して大量に普及し、不慣れな人々が使用する時代になって新規の仕事に成長します。それらが巨大産業に発展する事例もあるわけです。

一八二〇年代になり、イギリスに蒸気鉄道が一気に普及しました。当時は各地に鉄道会社が乱立し、遠方まで鉄道を乗り継いで旅行することは容易ではありませんでした。そこで登場したのがイギリスの実業家トーマス・クックが設立した世界最初の旅行会社で、不慣れな人々でも簡単に鉄道旅行ができる団体旅行を企画します。

当時の社会には存在しない仕事でしたが、現在では海外旅行の二五％程度は旅行会社が用意した団体旅行になっており、日本でも一万以上の旅行業者が存在しています。

大学時代の恩師の一人から、現在でも金言としている言葉を教示されたことがあります。「誰も研究していない分野に挑戦すれば初日から第一人者である」という名言です。

当時の最大の技術革新の分野は大型コンピュータであり、それを利用して日本で最初のコンピュータ・アニメーションを制作し、話題になりはじめたばかりの人工知能を応用した住宅設計手法も日本で最初に開発するなど成果はありましたが、持続能力が欠如し、いずれも大成しませんでした。

比較しては失礼ですが、クックは最初こそ自分の生活していた地方都市を拠点とする団体旅行でしたが、ヨーロッパから中東へと範囲を拡大し、アメリカ大陸横断鉄道やスエズ運河の開通など世界規模の事業が完成するたびに団体旅行を企画し、個人企業を世界最大の旅行会社に発展させました。

　二〇〇年前の鉄道に匹敵する現在の情報通信技術は、新規の仕事の無限の宝庫です。ＡＩがもたらす分類不能の仕事を発見し、その仕事を通じて人や社会に貢献し続ける生き方が、新たな縁を創造します。

第四章　時間消費から時間貯蓄へ

12　ＡＩが生む余裕時間で幸福を増やす

ＡＩがもたらす「時間」を何に費やすか

前章で触れたように、労働時間が短くなったことで、現代人は獲得した多くの自由時間の活用という新たな課題に直面しています。これは情報社会の発展によるところが大きく、この章では「時間」という視点から、ＡＩ時代を幸福に生きる対策を考えます。

まずはドイツの経済学者シルビオ・ゲゼルが『自然経済秩序』（一九一四）の中

で説いた理論から話を進めます。

ゲゼルは、あらゆる商品は時間の経過とともに価値が減少する一方で、通貨だけは減少しないために利子という仕組みが発生し、富裕な人々は通貨を所蔵するだけでいっそう富裕になり、社会を歪曲させていると指摘しました。

そこで通貨の特権を廃止するために時間とともに価値が減額していく自由通貨を導入します。そうすれば人々は通貨を退蔵せずに使用するから経済が循環するという理論を発表したのです。

実際、世界的大恐慌の影響で世界全体が不況になった一九三〇年代に、オーストリアのヴェルグルという地方都市で、市長が毎月減価していく通貨を発行していいます。その通貨を不況対策の公共事業の賃金として支払ったところ、受領した人々は納税や買物に率先して使用したため、一気に経済が循環しはじめ、失業者数が大幅に減少しました。

これは大恐慌発生源のアメリカからも視察が殺到するほど注目されましたが、

通貨の発行は中央銀行の専権事項であるとの判断で停止させられました。

この通貨を時間に置換し、社会の根底に存在する問題を指摘したのがドイツの作家ミヒャエル・エンデの『モモ』(一九七三)です。

ある都市に灰色の服装の人間が登場し、人々に時間を節約して時間貯蓄銀行に貯蓄すると利息が増えると宣伝をします。その宣伝を信じて多くの人々が時間を貯蓄した結果、人々は余裕を見失い、出会って会話する機会も減少し、会話や交際が減少して、人々は不幸になっていきます。

ここに登場するのが主役のモモで、時間泥棒の行員と対決して時間貯蓄銀行の秘密を暴露し、搾取された時間の解放に成功するという物語です。

余裕時間で不幸になる人、幸福になる人

ところが情報社会の登場により、人々の時間を搾取するのではなく、提供する

仕組みが社会に誕生してきました。かつて情報の伝達には相当の時間と労働が必要でしたが、通信技術の浸透によりどちらも大幅に短縮されるようになりました。相応の時間を必要としていた買物は通信販売の普及により、一気に時間を縮小しました。また、税金の申告が電子方式に変更されたことにより、納税は簡単になり、役所も処理時間が減少するだけではなく、申告内容の正否も簡単に判断できるようになりました。

実際、日本の年間労働時間は一九六〇年代の二四〇〇時間から最近では一七〇〇時間と七〇〇時間も短縮しています。年間労働日数で割算すれば毎日三時間以上の短縮です。現在では別人の創作と判明しましたが、世界で数百万部も出版された南海の島国の酋長の演説の集成『パパラギ』（一九二〇）は、西欧社会の時間感覚を皮肉って、人々は一日を細分し、いつも時間不足で右往左往しているが、たまに余裕ができると今度は不安になると指摘しています。

この余裕を幸福にする戦略が必要なのです。

13　時間を目的とした生き方を捨てる

少数民族に学ぶ人生の本質

筆者が体験した『パパラギ』の指摘とは対極の時間があります。アマゾンの奥地に生活する先住民族を訪ねた際、マンジョカというイモを栽培してデンプンにし、たき火でパンにする調理の場面に遭遇しました。かなり時間がかかるため、たき火を凝視している先住民族の女性に「あと何分で料理が完成するか」と質問したところ「美味しくなったとき」という見事な返答でした。彼らにとっては処理時間の長短が尺度ではなく、目的を達成したかどうかが判断の基準なのです。

　カナダの北極圏内で生活するイヌイットのアザラシの狩猟に同行した際も、同じような経験をしました。モーターボートで遠くの小島に着き、海面に一瞬浮き上がってくるアザラシを射撃するのですが、見事に一頭を仕留めたので集落に帰るのかと予想したら、数頭を捕獲するまでは何日かかっても帰還しないというのです。こちらも目的の達成が重要であり、時間は関係ないのです。

　このイヌイットはヌナブト準州に生活しており、立法権限のある州に昇格することを民族の目標にしていました。準州の大臣に何年までに達成するのかと質問すると、自分の本業は猟師であり、真冬には極寒の氷上でアザラシを捕獲するまで何日でも待機する。同じように昇格が目標であって、何年までという期限は関係ないという回答でした。大切なのは時間ではなく過程であり、ここに情報社会の役割が存在します。

　高速鉄道が普及した結果、移動時間は大幅に短縮した一方、何日もかけて全国を移動する豪華列車の旅行が登場しています。一日で往復できる区間を二泊三日とか三泊四日で移動する「瑞風」「四季島」「ななつ星in九州」などの豪華鉄道旅行で、予約が困難なほどの人気です。同じように、空路の何倍もかけて移動する船旅の旅客も急増しています。

ＡＩをはじめとする情報技術は現代の『モモ』といえます。時間は万人に平等に付与された唯一の資産ですが、かつては労働のために大量に消費されていました。

しかし、その時間は情報社会になって急速に減少し、現在の毎週四〇時間という慣習は、一九三〇年に行われたイギリスの経済学者ジョン・メイナード・ケインズの講演によれば、二〇三〇年には一五時間になるとのことです。現代の『モモ』が獲得してくれた自由になる時間は、二倍以上になる計算です。

この膨大な資源をどのように利用していくかは、個人にとっても社会にとっても情報社会の重要な課題になります。

14　AIとの関係を見直し人生の時間を豊かに

ネット社会で時間貧困となる人々

近年、世界の先進諸国では「時間貧困」という言葉が話題になりつつあります。時間はあらゆる場所のあらゆる人間に平等に一日二四時間が与えられているはずですが、実際は平等ではない現実が拡大し、時間が不足している人々が増えているというのです。

富裕な人々は金銭を支払って他人の時間を入手することが可能であり、一般の人々の何倍もの時間を使うことができる一方、金銭で自分の時間を売却した人々は時間貧困になっているのです。

アメリカの自動車王ヘンリー・フォードに有名な逸話があります。高等教育を享受していないのにさまざまな素晴らしい技術開発ができるのは何故かという記者の辛辣《しんらつ》な質問に、フォードは自分の机の上にある多数のボタンを紹介し、それぞれのボタンの先方には優秀な人間が待機しており、ボタンを押せば部屋に来て、どのような課題にも対応すると説明したのです。金銭を支払うことによって自分の時間の何倍もの時間を利用する例の一つです。

その後、インターネットが登場すると、さらに事態は一変します。通信距離と使用時間に料金が依存する電話と違って、インターネットは距離と時間に関係しない世界均一の料金体系での情報交換を可能にしたのです。

現在、インターネット内部には膨大なウェブサイトがあり、利用者が最大の「グーグル」には一日六〇億回以上のアクセスがあります。今や多くの人々が、かつてフォードが雇っていた識者とはケタ違いの人数を無償で使用していることになります。

ところが世界の人々に時間と情報を提供してきたインターネットが、時間を収奪する手段として利用されるようになってきました。「サブスクリプション」と総称されるサービスです。

元来、月額や年額の料金を支払って新聞や雑誌を購読する場合に使用されていた言葉ですが、最近では定額で毎月一定の枚数の衣装が利用できるサービス、一定時間の授業が受講できるサービスなどへと分野が拡大しています。

最大の分野は音楽の「スポティファイ」「アップル・ミュージック」、動画の「ネットフリックス」「ディズニープラス」、書籍の「キンドル・アンリミテッド」「ブックパス」などを代表として、インターネットを経由してコンテンツを自由に視聴できるサービスです。これらの音楽や動画を提供するサブスクリプションの売上げは、日本の場合、五年前の二九〇〇億円から最近では五三〇〇億円と一・八倍に増加しています。

それを正確に反映しているかは確実ではありませんが、日本で二〇一六年から二〇二〇年までの五年で、テレビジョン視聴時間、ラジオ聴取時間、新聞閲読時間が減少した一方、インターネットを利用する時間は一日につき一〇〇分から一六八分と一・七倍に急増しています。

その時間すべてが映像や音楽のサブスクリプションに充当されているわけではありませんが、前述のサブスクリプションの売上げの増加から推察すると、一定の相関関係はあると推察できます。

AIを味方とし時間泥棒から身を守れ

ここで再び小説『モモ』に視点を移してみましょう。

物語では、灰色の人間たちの宣伝に乗って、多数の人々が時間貯蓄銀行に時間を預けた結果、会話や交際が減り、社会は無味乾燥になっていきました。この時間貯蓄銀行は、映像のサブスクリプションに似ています。五年で一・七倍になったインターネット利用時間は、人々が画面に集中し、会話や交際が減少したことを想像させます。

この小説に登場する正体不明の少女モモは、時間貯蓄銀行を解放して凍結されていた時間を解放し、社会は以前の活気ある状態に回復します。ＯＥＣＤ（経済協力開発機構）は余暇活動や気分転換の時間が平均の六割未満の人々を「時間貧困」と定義していますが、過去三〇年間で大半の先進諸国で比率が増加しています。

日本も例外ではありません。この有力な原因が、一定の金額を支払えば自由に音楽や映像を享受できるサブスクリプションに収奪されているとも見ることができます。

このサブスクリプションが象徴するのは、人間が受身で技術と対応していることとです。膨大な数量のコンテンツから選択できるとはいえ、所詮は一定の枠内での選択です。しかし、イギリスのコンピュータ科学者ギャビン・ウッドによって提唱されたこれから登場する次世代の分散型インターネットの時代、Ｗｅｂ３・０社会では、人々は受身ではなく自身が主体となって情報を管理することが可能になります。

重要なことは、時間泥棒から自身を保護するモモの役割をする思考です。そのためには人間と情報技術の関係を捉え直すことが不可欠なのです。

掃除ロボットは廊下を巡回して自動でゴミを集めますが、豊橋技術科学大学で開発されたゴミ捨て箱の形状をした掃除ロボットは、ゴミを発見するとそこで停止して、通行する人間にゴミの存在を合図しますが、自分では処理をしません。仕方なく人間がゴミをロボットのカゴに投入します。

これは役立たない技術のようですが、時間泥棒に気づかせてくれる存在になります。このようなモモの役割をする技術やビジネスが重要になる時代なのです。

それと同時に、これからは人々の時間を共有して利用する「時間流通銀行」のような存在が必要になってきます。

本章の冒頭で紹介したゲゼルの理論から派生した地域通貨はその一例で、自分の余剰時間を地域社会の維持のために提供することをめざしていました。

情報技術という〝現代のモモ〟が与えてくれた、かつての二倍以上もの膨大な自由時間を何に役立てていくか。前章の「創縁」の視点とあわせて、情報革命の時代を幸福に生きるために重要な視点といえます。

15 働き方をワークリエーションに

働く時間が激減すれば四〇代で隠居に？

二〇一九年四月から通称「働き方改革関連法」が施行されました。主な内容の第一は、残業時間を一定以下に制限する、有給休暇の取得を義務とするなどにより長時間労働を是正すること。第二は、同一労働・同一賃金を遂行することにより正規・非正規労働の処遇格差を解消すること。第三は、フレックスタイム制の見直しなどにより多様な労働形態を実現することという三点です。

とりわけ日本が先進諸国といわれる国々と比較して出遅れが明確な項目は第一の労働時間です。

実際、労働先進諸国とされるヨーロッパの国々と比較すると格差は明確で、一九七五年の日本の年間労働時間は二一一〇時間であり、イギリスは一八八〇時間、フランスは一八三〇時間、ドイツも一八三〇時間、スウェーデンは一六〇〇時間でした。

それ以後、各国とも短縮していき、二〇一九年には日本も一六四四時間まで短縮したものの、イギリスは一五三七時間、フランスは一五一一時間、ドイツは一三八三時間、スウェーデンは一四五二時間まで短縮しているので、日本との格差は拡大する一方です。

一九世紀前半の産業革命の時期に、スコットランドで労働改革をしたロバート・オウエンは自身の繊維工場での労働時間を大幅に短縮したことで有名ですが、それでも一日に一〇時間半で年間三二五〇時間の労働でしたから、二〇〇年間で半分になったことになります。

ところが、さらに短縮をめざす意見が登場しています。前述のとおり、イギリスの著名な経済学者ジョン・メイナード・ケインズは一九三〇年に、一〇〇年後には労働時間は毎週一五時間になると講演しています。年間七八〇時間ですから、現在の半分程度です。

一九六五年にフランスの経済学者ジャン・フーラスティエが『四万時間──未来の労働を予測する』を出版しました。週休三日で毎日八時間の労働をすると二四年間で四万時間に到達するので、四〇歳代前半には隠居して、五〇年近くを自由に生活することになるという見解です。それを発展させたのがオランダの歴史学者ルトガー・ブレグマンが二〇一七年に発表した『隷属なき道』で、国民全員に一定給与（ベーシックインカム）を付与すれば、一日三時間労働で社会は維持できるという主張です。

西欧社会が労働時間の短縮に熱心で、実際に日本の八割程度の労働時間を実現しているのは、背景に労働への意識の違いがあるからです。その根拠は『旧約聖書』の「創世記」に記載されている「楽園追放」です。

労働の必要のない楽園に生活していたアダムとイブは、知恵の果実を味見したために追放され、労働を余儀なくされます。以後、その罰則からの脱却が人間の目標になったのです。英語で労働「レーバー」と奴隷「スレーブ」が同一語源なのは、ここに由来します。

労働と余暇の一体化で生き残りの道へ

一方、日本では勤労や勤務という言葉があるように、労働は熱心に仕事をし、何事かを達成することによって満足を獲得することでした。そのために自分の時間を企業に売却し、対価として賃金を付与されるという意識は希薄であり、欧米と比較すると生産効率が低率であるという結果にもなっていたのです。

しかし、日本企業も国際競争で優位にならなければ地位を維持できない時代になり、この独自の労働の価値基準は修正を余儀なくされつつあるといえます。そこで「ワークリエーション」という概念を提唱したいと思います。

ワークリエーションは「ワーク」と「リクリエーション」を合成した言葉です。後者は一般に余暇とか娯楽と翻訳される言葉で、原義は破壊されたものの再生という意味で、労働によって疲弊した精神や肉体を再生するために芸術を鑑賞し、自然を散策することです。

かつての日本では、道具の手入れというリクリエーションによって精神を集中し、一気に仕事を仕上げる職人が普通であったように、ワークリエーションは労働に浸透していました。

ところが国際社会で競争するため西欧諸国と類似した基準を導入する事態となり、時間あたりの生産という効率が評価基準となり、労働と余暇は分断されて対極の概念となり、労働は生産の手段に格下げとなってしまいました。

それに対抗するためには日本本来の労働の価値を評価し、労働と余暇を一体とする形態の再現が重要になるのです。

このワークリエーションこそ二一世紀の企業や社員の目標となるのです。

第五章　未来から現代へ

16 バックキャストで未来から逆算を

フォアキャスト視点が陥った限界

ここまでは、今後さらに進むであろう情報革命の未来にどう備えるかという視点から話を進めてきました。この章では、きたるべき「未来」から逆算して現在を考えるという手法で、より具体的に対処を考えてみます。

一般的に前向きの姿勢や前向きの思考は賞賛され、後向きの態度や後向きの発想は非難されるのが通常です。これは事業でも同様で、売上げを増やす、商圏を拡大するという前向きの計画を立案しないと社員や株主から批判されます。

現在から未来について前向きに計画することは予測、英語ではフォアキャストといいます。この言葉は魚釣りに由来し、釣竿を前方（フォア）に投下（キャスト）するという意味です。しかし、前方に投下するためには、一旦、後方に投下して反動を利用する必要があり、これをバックキャストといいます。

正確なバックキャストがなければ、目的の地点に釣針をフォアキャストできないのですが、これまでの社会で大半の事業はフォアキャストのみで構想されてきました。それが現在の社会に深刻な問題を発生させています。

さまざまな商売で清潔の維持、廃棄の容易、安価な素材などの理由でプラスチックが大量に使用されてきましたが、その廃棄により海洋環境が汚染され、魚類の生育の障害になっています。食品も不足しないように大量に生産される結果、供給食品の三割が廃棄されています。

これらも深刻ですが、最大の問題は地球規模の環境破壊です。人間の活動によって排出される二酸化炭素が急速に増加し、現在、数百年前の産業革命以前と比較して地球の平均気温が一度上昇し、一〇年後には一・五度の上昇になると推定されています。

それは産業活動も人間生活も、より快適、より便利、より安価をめざしてフォアキャストのみで突進してきたからです。石油や石炭など化石資源の限界は予見されていたものの、結果を明確には推定してこなかった影響です。

そこでスウェーデンの医師カール・ヘンリク・ロベールが提唱したのが「バックキャスティング」という概念です。

未来の特定の時点のあるべき状態を想定し、そこに到達するために現在、実行すべきことを決定する方法です。その好例が地球環境問題への対応です。現在のままでは二一〇〇年に気温は産業革命以前より四・四度は上昇すると予想されます。そこで二度以下に抑制するには二〇五〇年までに人間の活動による二酸化炭素の発生を何割削減するというように、未来から現在を予測して対策を検討するのです。

17「未来からの預かり物」という視点をもつ

今だけ自分だけ視点に未来はない

これは既存の常識を打破する素晴らしい発想であることに間違いはありませんが、はるか以前からの先例があります。アメリカ大陸の先住民族であるイロコイ部族には「七世代先の子孫の生活を想像して物事を決定する」という言葉があります。

世代交替を三〇年とすれば、二〇〇年程度未来の子孫のために現在の環境への影響を熟慮するということになります。同様に、ナヴァホ部族には「現在の環境は未来の子孫から預託されたものだから勝手に改造しない」という伝承があります。

実際にアメリカ南部の乾燥地帯に生活するナヴァホ族の人々を訪問したことがありますが、その言葉は現在もきちんと守られていました。

集落に水道はなく、遠方から容器で真水を運搬し、コップ一杯の水で歯磨きと洗顔をし、畑地には水路もなく天水のみの栽培です。地域の西側にあるアメリカ有数のコロラド峡谷から水路の建設は可能ですが、現在の環境を子孫へ継承するために建設はしないのです。皮肉なことに、対岸の都市ラスベガスでは峡谷の真水を湯水のごとく使用した生活が展開されていました。

世界の大半の人々が人工の環境に居住し、各地から輸送されてきた資源で生活している現状では、地球が有限であることを実感するのは困難ですが、化石燃料を代表として資源は着々と限界に接近し、環境は自然の循環が不可逆的な状況になっています。

金鉱は現在の傾向で採掘していけば十数年で枯渇し、銀鉱も同様です。都市鉱山という名称で、廃棄される製品から金属を回収する技術も普及し、鉱物が大量に存在している海中や海底から掘り出す技術も開発されていますが、当面は価格で対抗できません。

自然資源だけではなく、社会資源も未来世代からの収奪が進んでいます。代表は年金です。

二〇一九年八月、五年に一度の年金の財政検証が発表されました。さまざまな前提で計算されていますが、話題になったのは年金が現役時代の収入の半分しか支給されず、六五歳から三〇年間という期間を長生きするためには貯蓄が二〇〇〇万円必要という結果で、国会で紛糾しました。年金制度の基本は現役世代が納付する掛金を引退世代が受給する仕組みであり、未来からの収奪の典型です。

こうした状況は、外部から観察すれば危機的なことが実感できるはずですが、渦中にあると異常に気づくことは困難です。そこで冷静になって未来から現在の社会を構想しようという概念がバックキャスティングなのです。

これはビジネスについても同じで、多くの経営計画は短期の社会環境の予測を前提として前向きに立案されますが、原料が環境の変化で入手が難しくなる、市場が嗜好の変化で縮小するなどという変化は意外に想定されていません。

しかし、人口の増加、資源の枯渇、嗜好の変化など加速度的な変化は急速に到達するものです。未来の子孫のために現状を変更しないという判断はできないにしても、未来から現在を計画するバックキャスティングは激変する時代の必須の思想になるでしょう。

世界を不幸にする欲望増幅の構造

それではバックキャスティングで未来から現在を計画するうえで、重要な視点はなんでしょうか。

参考の一つとして、世界最貧の国家元首として有名なウルグアイのホセ・ムヒカ大統領（当時）の言葉を紹介します。

ムヒカ大統領は、環境問題を議論する会議で「環境危機の原因は環境にあるのではなく、現代社会の生活様式や経済構造が原因で、それは政治危機である」と喝破しました。欲望の増幅により成立する経済構造に立脚した政治構造を変革することこそが、問題解決の基本であると演説したのです。

このムヒカ大統領は「貧乏とはモノを所有していないことではなく、無限の欲望があり、いくら所有しても満足しないことである」と力説しています。

それを証明する『地球家族――世界30か国のふつうの暮らし』（一九九四）という書籍があります。世界三〇カ国の家族それぞれの家財道具すべてを屋外に搬出した写真集です。膨大な家財のあるアメリカや日本の幸福順位は下位である一方、わずかな道具で生活しているブータンやインドの幸福順位は上位です。

ナヴァホ族の「現在の環境は未来の子孫から預託されたもの」、イロコイ族の「七世代先の子孫のことを考慮して物事を決定する」という精神は、何が「幸福」の本質であるかを示しています。

そのアメリカ大陸にせいぜい四〇〇年前に進出した人々の欲望の構造が今や世界に浸透し、世界を不幸にしているわけです。欲望を喚起して収益を増大させるという構造を見直し、未来の世代に批判されない仕組みを創造すべきです。

18　利益を目標としない日本の伝統精神を強みに

AIが問う人間の理念とは

アメリカの環境学者ギャレット・ハーディンが一九六八年に発表した「コモンズの悲劇」という環境問題についての必読とされる論文があります。コモンズは日本で「入会《いりあい》」といわれる、地域の人々が共同で利用する森林や海岸のことです。

ハーディンの理屈は共有の草原と私有の草原があると、誰もが最初は共有の草原に自分の家畜を放牧し、そこの牧草が消滅しそうになってはじめて自分の土地に家畜を移動するから、コモンズは最初に荒廃するという内容です。

自分の利益を最大にすることが社会の共通理念であれば正論ですが、世界には相違する社会が存在します。

筆者はニュージーランドの先住民族マオリのイセエビの採取を見学したことがあります。小舟から水中眼鏡だけで潜水して海底から採取するのですが、ここでは漁師一人の漁獲が割り当てられており、かつては違反した漁師を浜辺に生き埋めにしたというほど厳格に規則が維持されていました。結果として沿岸の魚介は消滅せず、持続可能な漁業が維持されています。

モンゴルの乾燥地帯の草原はすべて共有で利用されていますが、牧草が減少しはじめると家畜を他所へ移動させてきたため、何千年間も草原が維持されてきました。

戦後、モンゴルは南北に分割され、中国に編入された南側では土地を細分して移住してきた人々の私有にしましたが、それぞれが過剰に家畜を放牧したために現在では砂漠になっています。衛星写真では草原か砂漠かによって国境が判別できるほどの大差です。いずれもハーディンの理屈が間違いなのは明瞭です。

この現象は自然環境だけではなく、経済環境にも出現しています。インターネットを駆使する流通産業はサービス対象人口の増加が利益の基盤であるため、ひたすら他社を吸収や駆逐して占有比率を拡大していく社会が登場しています。

その結果が「デス・バイ・アマゾン（アマゾンによる消滅）」であり、市場全体の株価が増大しているにもかかわらず、アマゾンと類似のサービスを提供する企業の株価は急落し、場合によっては倒産していくのです。

この弱肉強食社会では国民の格差が拡大し、少数は勝者になる一方、多数は敗者になります。この格差を端的に表現する数値がジニ係数で、国民全員が均等の収入であれば「0」、一人が独占していれば「1」となるような計算をします。

大半の国々では時間とともに増大していますが、一定もしくは減少している国々があります。それが北欧諸国です。

「共有」と「中庸」が価値となる時代へ

これが国民の生活に重要だということを示唆する幸福度指標という数値があります。国際連合が発表した二〇二三年の「世界幸福度報告」では、フィンランド（一位）、デンマーク（二位）、アイスランド（三位）、スウェーデン（六位）、ノルウェー（七位）など北欧諸国が上位を独占し、アメリカは一五位、日本は残念ながら四七位です。

それ以外にも北欧諸国が上位に集中している幸福度調査はいくつもあります。人口が一〇〇〇万人以下の国々と一億人以上の国々という差異があるにしても検討する意義はあります。

スウェーデンの政策を象徴する「オムソーリ」という言葉があります。翻訳すると「社会サービス」で、福祉、医療、教育などを社会で共有するという意味です。対象は利便や幸福だけではなく、不便や不幸も共有します。平等をめざすのです。その実現のために「ラーゴム」という精神も社会に浸透しています。「中《ちゅう》庸《よう》」という意味で、極端な貧困は発生しないようにするが、極端な富裕も要求しないという精神です。それが幸福度順位を上位にしている背景です。

これら北欧社会は幸福国家であるとともに情報国家の二〇二二年の順位でも、デンマーク（一位）、スウェーデン（三位）、フィンランド（七位）、ノルウェー（一二位）である一方、日本は二九位で、日本の情報サービス企業は世界水準では皆無です。

現在、日本企業は弱肉強食世界で競争して苦戦していますが、その対極にある共有や中庸は日本文化の特性でもあり、日本の伝統社会には根付いていたものです。

この方向への転換が、幸福な情報社会を築いていく重要な一歩となります。

19　日本が先導するソフトパワーを戦略に

未来に進めないときは伝統を見直せ

先住民族アボリジニの画家B・ロバーツの言葉に「未来に進行できないときは伝統文化を見直すこと」という名言があります。私たちの足元にある日本の伝統文化から、現状を変革するための視点を観察してみましょう。

ルネサンスという言葉があります。再度の生誕、すなわち再生が原義ですが、日本では文芸復興と翻訳されることもあります。不当にも蛮族と名指しされた北方の民族が南下して社会が混乱した中世ヨーロッパは、現在では否定されていますが暗黒時代と理解され、そこから脱却して古代ギリシャや古代ローマの古典世界へ回帰しようという活動がルネサンスです。

その結果、古代の芸術様式や科学技術を見直す活動が登場し、ヨーロッパは再生しました。

現代の日本は暗黒というほどではないにしても、一五〇〇年近く増加してきた人口は減少に反転し、一九八〇年代には毎年五・八％以上で成長していた経済もバブル経済崩壊以後の二〇年間は平均すれば毎年〇・一％以下の増加でしかなく、完全に停滞しています。

さらに日本経済を牽引してきた工業も公的資金の補助なしでは成立しない企業や、外国企業に身売りせざるをえない企業が続出しています。ここからの再生が必要です。

ルネサンスが古代ギリシャや古代ローマを目標にしたように、日本が目標とすべき時代として「江戸時代」が浮上してきます。

一九八〇年代にアメリカが日本に急追され、自動車生産でも半導体生産でも逆転された時期に、アメリカは国力の源泉を模索しました。アメリカの未来学者アルビン・トフラー、政治学者ズビグニュー・ブレジンスキーなど何人かの識者が提言していますが、それらに共通する見解があります。

古代の西欧社会の国力の中心は軍事力（ハードパワー）でしたが、地球規模の航路が開拓された一五世紀からはスペイン、オランダ、フランス、イギリスなど先進諸国が貿易によって国富を蓄積する重商主義を国家政策とした結果、経済力（エコノミックパワー）の時代が到来します。その貿易対象は金属、食料、繊維など、すべて物質でした。

しかし二〇世紀後半になり、コンピュータやインターネットが登場したことにより情報が国力の中心に位置するようになります。

大谷翔平に見るソフトパワー

この情報の役割を文化力（ソフトパワー）と名付けたのがアメリカの政治学者ジョセフ・ナイで、その本質は「魅力」であると喝破しました。文化、制度などによって、世界の人々が共感する国家になるように仕向けるということです。

ブレジンスキーはアメリカが大国になったのは「粗野ではあるが世界の若者を魅了する文化」の功績だと説明していますが、その文化をめざして優秀な研究者、芸術家、実業家がアメリカに到来し大国になったというわけです。

その象徴が大谷翔平選手です。日本の野球には満足せず、アメリカの野球に魅了されて移籍したのです。

二〇二三年は明治維新から数えて一五五年目にあたります。この期間を上記の理論で整理すると、明治政府の富国強兵政策により、日本はハードパワーで世界有数の大国になることに成功したものの、敗戦により地位を喪失してしまいました。戦後は先人の努力によりエコノミックパワーで一旦は世界二位に到達するまでに発展したものの、残念ながら、バブル経済の崩壊とともに長期の低迷の渦中にあります。それはソフトパワーへの転換に出遅れた結果といえます。

中世ヨーロッパが一〇〇〇年以前のギリシャやローマの古典世界を参考に再生したように、日本にも江戸時代をソフトパワーの手本にする戦略が必要です。幕末から明治に到来した西欧の人々の多数が日本を絶賛しています。それは浮世絵や工芸品など日本独自の文化だけではありません。

明治時代初期に通訳と二人だけで江戸から蝦夷《えぞ》へ旅行したイギリスの女性イザベラ・バードは道中での村人の応対に感動し、工学教育のため来日したイギリスの技術者ヘンリー・ダイアーは学生の能力と礼儀に驚嘆しています。

この戦略は懐古趣味ではありません。明治時代以来の文明開化の潮流に一掃されず、日本社会の基底に存続してきた精神、文化、制度こそ西洋古典世界に匹敵するソフトパワーと理解すべきです。

暗号資産、人工知能、電子取引など情報技術は日本の将来にとって重要なことは当然ですが、それだけではなく、他国にない精神、文化、制度などをソフトパワーとして駆使していく戦略が重要になるでしょう。

20　パラダイス鎖国を打ち破り危機を好機に

なぜ日本は内向き化するのか

足元にある日本のソフトパワーを駆使する戦略を実現するうえでは、逆説的なようですが、世界に目を向ける姿勢が必要です。

平成時代に日本は内向き国家に転換しました。それを証明する数字があります。平成の三〇年間に訪日外国人数は一一倍に増加した一方、出国日本人数は一・八倍の増加でしかありません。

同様に外国人留学生は七倍に増加しましたが、海外への日本人留学生は三倍の増加でしかないのです。しかも、二〇〇四年の八万三〇〇〇人を頂点に直近では五万六〇〇〇人に減少しています。文化の嗜好にも同様の変化があり、平成初期には日本で上映される映画は七割が洋画でしたが、最近では逆転して邦画が六割になっています。

最近、この傾向を裏付ける政府の調査結果が発表されました。主要欧米諸国と韓国、日本の七カ国の若者を対象にしたもので、海外へ留学したいという若者の比率は韓国の六六％を筆頭に、海外から学生が殺到するアメリカでさえ六五％の若者が海外留学をめざしており、それ以外の国々もすべて五〇％以上です。

ところが、日本は三二％なのです。外国での生活を希望する若者の比率についても日本は一九％で最低、希望しないが四三％で最高という状態です。

このような日本の状態を「パラダイス鎖国」と表現しましょう。紛争、安全、軍事という項目で計算する「世界平和度指数」で世界九位、人権の保護、文化の魅力、生活の水準などで評価する「優良国家尺度」で五位、社会の安全、国土の魅力、文化の特徴などで評価する指標で八位というのが日本の位置です。

このような快適な日本に生活していれば、教育の水準が高度であっても、熾烈な競争をし、馴染みのない環境で生活して外国で勉強する意欲は減退することになります。

危機こそチャンス

内向きであることは個人の自由ですが、国家という単位では憂慮すべき事態です。世界各国の科学技術論文の評価の上位一％の比率で、日本は二〇〇六年には世界四位でしたが、二〇二二年には一三位に低下してしまいました。

論文の成果を特許として出願する件数で日本は世界三位ですが、日本以外の国々が急増しているにもかかわらず、日本は年毎に減少しています。このような衰退の重要な原因は、若者が海外へ留学して世界水準の熾烈な競争に挑戦しない姿勢にあります。

これは中国と比較すると明確で、中国の留学生数は二〇〇〇年の一五万人から二〇一七年には八七万人と五・八倍に増加していますが、日本は五万九〇〇〇人から三万二〇〇〇人と大幅に減少しています。中国の人口が日本の一〇倍という釈明は成立しません。人口五一〇〇万人の韓国は日本の三・三倍の一五万五〇〇〇人、人口二四〇〇万人の台湾は二万人をアメリカに留学させています。日本の若者には海外に雄飛する意欲が欠如しつつあるのです。

これも科学技術分野に明瞭に反映しています。前述の科学技術論文における二〇〇六年の中国の順位は八位でしたが、最近ではいくつかの分野でアメリカを逆転して一位になっています。

これは科学技術分野のビジネスにも反映しています。上場すれば一〇億ドル以上の評価になる企業はユニコーンと命名され、二〇二二年に世界には一二〇〇社程度存在しますが、五四％はアメリカ、一四％は中国ですが、日本は一％の一二社しか存在しません。

こうした日本の状況は、炭酸ガスが充満して息苦しくなってきた室内に類似しています。それを改善するには二種の方法があります。

第一は換気装置を設置して時間をかけて空気を清浄にする方法、第二は室内の人々が新鮮な空気を満喫できる屋外に脱出して活動空間を拡大する方法です。明治維新は第二の方法を実施した好例です。

江戸時代にも長崎を経由して外国の情報を入手して細々と換気はしていたものの、明治維新によって一気に人々は外部に脱出し、それが近代日本を誕生させることに成功したのです。これは現代のビジネスにも通用する原則です。

人口は減少（特に若者）、空き家は増加、経済は停滞、地方は疲弊という日本の状況は、炭酸ガスが充満した部屋です。ここで改善主義や改良主義で次第に対応していくのでは時間がかかりすぎます。一気に転換することが必要です。

「危機は好機」という言葉がありますが、列強の圧力による植民地化の危機の予感が明治の人々を発奮させたように、周辺の国々が急速に成長している危機を直感し、パラダイスから脱出する必要があるでしょう。

21　五万年の叡智に学ぶ　AI共生の道

実用になりはじめたAI

紀元前八世紀のホメロスの著作『イリアス』には、古代ギリシャの名工ヘーパイストスが黄金で製造した人間さながらの侍女たちが登場します。言葉も使用でき、感情もある人造人間です。

それ以外にも、ギリシャ神話にはキプロスの王様ピュグマリオンが理想の女性の彫像を製作しますが、熱愛する様子を見兼ねた女神アプロディーテが生命を付与するという神話もあります。

このように生命のある機械については数千年間の人間の憧憬《しょうけい》の歴史がありますが、その中心になる技術がＡＩです。この課題を多数の学者が集合して議論する世界最初の会議が一九五六年の夏、アメリカのダートマス大学で開催されました。この通称「ダートマス会議」にはマービン・ミンスキー、クロード・シャノン、ハーバート・サイモンなど、以後のＡＩ研究を牽引する学者が参加しました。

これは第二次世界大戦中に現在のコンピュータの原型となる機械が開発されたことを契機にした活動ですが、いくつかの理論は登場したものの、社会が注目するような成果には発展せず、一時は話題にならなくなりました。

筆者も一九八〇年代に施主が希望する住宅の間取りを自動設計するＡＩを研究したことがありますが、能力不足もあり実用になるほどの成果には到達しませんでした。

ようやく一九九〇年代中頃に世間が注目する成果が登場しはじめます。当時の世界最高能力のＩＢＭのコンピュータ「ディープ・ブルー」がチェスの世界チャンピオンのガルリ・カスパロフと六番勝負をし、一九九六年にはカスパロフが三勝一敗二分けで勝利しましたが、翌年の再戦では「ディープ・ブルー」が二勝一敗三分けで勝利するという結果になり、ＡＩが注目されるようになりました。

升目が八×八のチェスに比較して升目が九×九の将棋はやや複雑でしたが、二〇一四年頃にはＡＩが一流棋士に勝利するようになりました。

さらに複雑な囲碁は当分、人間の名人には勝利できないと予想されていましたが、グーグルの開発したソフトウェアが二〇一六年に韓国の世界チャンピオンのイ・セドルに、翌年には中国の世界チャンピオンの柯潔《かけつ》に勝利し、ＡＩの威力を誇示しました。

それでもＡＩは社会全体が多大な関心をもつ対象ではありませんでしたが、二〇二二年に「チャットＧＰＴ」を代表とする生成人工知能が実用になったことにより、一気に世界規模の話題になりました。

ここまでＡＩが社会にもたらす影響を紹介してきましたが、ここからはＡＩにできないことを検討するヒントになる筆者の経験を紹介させていただきます。

ＡＩに解決できない課題をどう考えるか

筆者は約四〇年、工学分野で教育や研究をしてきましたが、大学を退職したことを契機に工学ではない分野に興味が移行し、工学が提供する技術などが浸透していない先住民族の世界を訪問、それらの人々の文化や生活を紹介するテレビジョン番組を制作しはじめました。約六年間、三〇ほどの先住民族を訪問しましたが、そこでは極論すればＡＩと反対の世界が展開していました。

国際連合による定義によれば、先住民族は「外部の地域から異質の文化を保有する異質の人々が到来し、住民を支配し圧倒して人口を減少させ、非支配的な状況にしてしまった時代に、現在の居住地域に生活していた人々の現存する子孫」

であり、現在、世界の七〇カ国程度に四億人近くが生活しており、日本ではアイヌ民族が該当します。

もちろん現在では先端技術を利用した生活をしている先住民族も多数存在します。サハラ砂漠で遊牧生活をしている一家は携帯電話を使用していましたし、ゴビ砂漠の遊牧民族の住居ゲルには衛星放送を受信するパラボラアンテナが設置されていましたが、それでも先住民族の人々を訪問すると、民族の伝統を背景にした思考や行動を維持していることが明確でした。

その内容はＡＩを駆使する先端社会とは無縁ということは当然ですが、単純に関係ないというだけではなく、ＡＩの技術が進歩し、その利用が社会で進展しても解決できない人間社会の課題を示唆している内容が数多くあることです。

極端に表現すれば、ＡＩが主要な役割をする現代社会の背後に存在する課題を示唆する内容です。

以下に筆者の経験した数例を紹介します。

日本人も驚くおもてなしの精神

　アフリカ大陸北部のモロッコの砂漠地帯に暮らす先住民族ベルベルを訪問したときのことです。アトラス山脈を横断する道路の途中で車を降り、そこから標高二六〇〇メートルほどの砂漠を徒歩で一時間半進むと、彼方の窪地に住居であるテントが遠望できるようになります。テントには三世代七人の家族が生活しており、ここで現代の日本からは消滅しつつあるおもてなしの精神を体験することになりました。

　ベルベルの家庭を訪問すると、どこでも最初にお茶が提供されます。この風習は日本と同様ですが、ここでは水は貴重という以上の存在です。断崖絶壁の細道を徒歩で約五時間かけて往復し、ロバに何個かのプラスチックタンクを運搬させてきた水です。

　その後の食事の最中、四歳か五歳の二人の子供が荷物を片手に砂漠の方向に出かけるので質問したところ、待機している自動車運転手が空腹であろうから弁当を持参するということでした。子供の速度では往復二時間半はかかる仕事です。

現代社会で流行しているタイパ（時間効率）は問題ではないのです。ＡＩでは回答できない課題です。

自然環境の回復は自然環境に任せる

カリフォルニア北部のシンキオンの森林は何千年間も自然のままでしたが、二〇世紀になって木材業者が丸裸になるまで伐採し、荒廃しました。

ところが、およそ二〇年前に先住民族の人々が土地を購入し、森林の再生をはじめました。普通であれば、丸裸になった斜面に植林をしますが、彼らはかつて木材を運搬するために建設した林道を周辺の土壌で埋め戻し、連続した斜面にするだけでした。数年もすると、周辺の森林から飛来してきた種子が発芽して、かつての森林が回復するという発想です。

前章でナヴァホ族の「現在の環境は未来の子孫から預託されたものだから勝手に改造しない」という伝承を紹介しましたが、人工の手段でなく、土地を以前の状態にするだけで自然を回復しようとする発想もＡＩでは想像もつかないものでしょう。

一九六八年にアメリカの生物学者ギャレット・ハーディンが発表した「コモンズの悲劇」という有名な論文は、現在でも必読の文献になっています。趣旨は共有の牧草地と私有の牧草地があると、家畜の飼主は自分の家畜を最初に共有の牧草地に放牧するから共有地（コモンズ）は最初に荒廃するという内容です。これも先住民族の世界では発生しない現象です。

モンゴルの乾燥地帯で遊牧生活をしているハルハという民族を訪問したことがあります。家畜を放牧しながら移動している人々ですが、ある場所に到達して放牧を開始した一家が翌日には移動すると住居のゲルを片付けはじめました。

このまま放牧しておくと牧草が消滅してしまうから移動するということです。子孫や全体の存続を考慮する人々の社会では「コモンズの悲劇」は発生しないのです。

ヨーロッパから北米大陸に移住してきた人々は土地を獲得するため、未開と勝手に想定した西部へと進出し太平洋岸まで到達しました。そこでシアトル部族の酋長に土地を購入したいと提案したところ「どうしたら青空や大地を売却できるのか理解できない。それらが私たちのものではないとしたら、あなたたちは誰から購入しようとするのか?」という返答でした。

AI時代を再考させる先住民族の叡智

オーストラリア大陸には五万年前にアジア方面からアボリジニといわれる先住民族が到来しました。彼らの生活は狩猟や採集が基本であり、広大な大陸を移動しながら生活していましたが、一八世紀後半にイギリス人が入植を開始し、それらの人々が土地を私有するために迫害されるとともに、もたらされた病気や襲撃によって人口が激減していきました。

そのアボリジニ出身の画家B・ロバーツの「古い方法と新しい方法のどちらを選択するのが適切かを判断するのは難問です。最善はまず古い方法を実行することです。未来に進行できないときは、まず過去から出発すればいいのです。古い方法の価値を見直す必要があります」という言葉はAIが社会に浸透しはじめた現在に重要な示唆をもたらします。

本著の「はじめに」の最後で紹介したように、国際地質科学連合は地球の地質年代の最後の「完新世」を区分し、人類が過去の蓄積である化石燃料を大量に使用するようになった時代を「人新世」とすることを提案しています。

これは人間以外の動物と相違し、人間のみが過去に蓄積されたエネルギーである化石燃料を大量に消費し、環境に影響しているという特徴を反映したものです。

それと同様に、情報についても人間のみが電気通信手段やコンピュータを駆使して大量に流通させてきました。

世界に流通する情報は二〇〇〇年を一とすると、二〇一〇年には一六〇、二〇二〇年には九五〇〇と増加し、二〇三〇年には五六万になると予測され、比例するかどうかは不明にしても、この情報社会の維持には大量のエネルギーを消費します。

化石燃料の大量の消費は地球規模の環境問題の原因となり、上述のように新規の地質年代を設定するほどになってきました。

同様に情報の大量の消費も地球の環境にさまざまな問題を発生させます。場合によっては「人新世」の後継の地質年代の設定の議論が必要になるかもしれません。その視点からも五万年間のアボリジニの叡智の結晶であるロバーツの言葉を真剣に検討する必要があります。

生物の歴史の最後に登場したホモ・サピエンスは二〇万年という地球の歴史で

は一瞬でしかない時間に環境を狩猟社会、農耕社会、工業社会、情報社会と変遷させ、その情報社会もＡＩという技術によって変貌させようとしています。

それがどのような社会を実現させるかは、人類自身の責任です。サピエンス（叡智）を発揮するべき時期なのです。

◆著者略歴

月尾嘉男（つきお よしお）

昭和17年生まれ。東京大学工学部卒業。工学博士。
名古屋大学工学部教授、東京大学工学部教授、総務省総務審議官等を経て、平成15年、東京大学名誉教授。これまでコンピュータ・グラフィックス、人工知能、仮想現実、メディア政策等を研究。全国各地でカヌーとクロスカントリーをしながら、知床半島塾、羊蹄山麓塾、釧路湿原塾、信越仰山塾、瀬戸内海塾等を主宰し、地域の有志と共に環境保護や地域計画に取り組む。著書に『日本 百年の転換戦略』（講談社）、『縮小文明の展望』（東京大学出版会）、『日本が世界地図から消滅しないための戦略』（致知出版社）、『幸福実感社会への転進』『100年先を読む』（モラロジー道徳教育財団）ほか多数。

ＡＩに使われる人　ＡＩを使いこなす人
―― 情報革命に淘汰されないための21の視点

令和5年9月24日　初版発行

著　者　月尾嘉男
発　行　公益財団法人 モラロジー道徳教育財団
〒277-8654　千葉県柏市光ヶ丘2-1-1
TEL. 04-7173-3155（出版部）
https://www.moralogy.jp
発　売　学校法人 廣池学園事業部
〒277-8686　千葉県柏市光ヶ丘2-1-1
TEL. 04-7173-3158
印　刷　株式会社ディグ

ISBN978-4 89639-290-6